Chhht!

Texte de
Sally Grindley

■

illustrations de
Peter Utton

PASTEL
l'école des loisirs

… du château d'un géant.
Tu ne me crois pas ?
Attends d'être…

Regarde ! La voilà !
Chhhhht !
Si on la réveille, elle va s'enfuir
et prévenir le géant.

Parle tout bas,
sinon tu vas réveiller la chatte
du géant qui dort de l'autre côté
de la page.

Vite, tourne la page !
Il ne faut pas qu'elle
nous entende !

Chhhhht!
Regarde! La voilà!
Si on la réveille,
elle va s'enfuir…
et prévenir le géant.

Vite,
tourne la page !

Crois-tu qu'on l'a réveillée ?
Ouvre doucement la porte
et dis-moi si elle dort toujours.
Oui ?
Bien.

Maintenant, reste tranquille
et parle tout bas, sinon tu vas
déranger la poule du géant
qui couve ses œufs...
de l'autre côté de la page.

Regarde ! La voilà !
Chhhhht !
Si on la dérange,
elle va se lever, s'enfuir
et prévenir le géant.

Vite, tourne la page !
Il ne faut pas qu'elle
nous entende !

Crois-tu qu'on l'a dérangée?
Ouvre doucement la porte
et dis-moi si elle
couve toujours ses œufs.
 Oui?
 Bien.

Maintenant, reste tranquille
et parle tout bas, sinon tu vas
distraire la femme du géant
qui prépare le dîner de l'autre côté
de la page.

Chhhhht !
Regarde ! La voilà !
Si elle nous voit,
elle va s'enfuir
et prévenir le géant.

Vite, tourne la page !
Il ne faut pas qu'elle
nous entende !

Crois-tu qu'elle nous a vus?
Soulève doucement la case et
dis-moi si elle prépare toujours
le dîner. Oui?
  Bien.

Maintenant, reste tranquille
et parle tout bas, sinon tu vas
réveiller l'énorme géant qui ronfle
de l'autre côté de la page.

Le voilà!
Comme il est **grand**!
Écoute-le ronfler!
Je parie que tu n'oses pas
crier "Bouh!"

Vite, tourne la page !
Il ne faut pas qu'il
nous entende !

Crois-tu qu'on l'a réveillé?
Ouvre doucement le volet
et dis-moi s'il dort toujours.

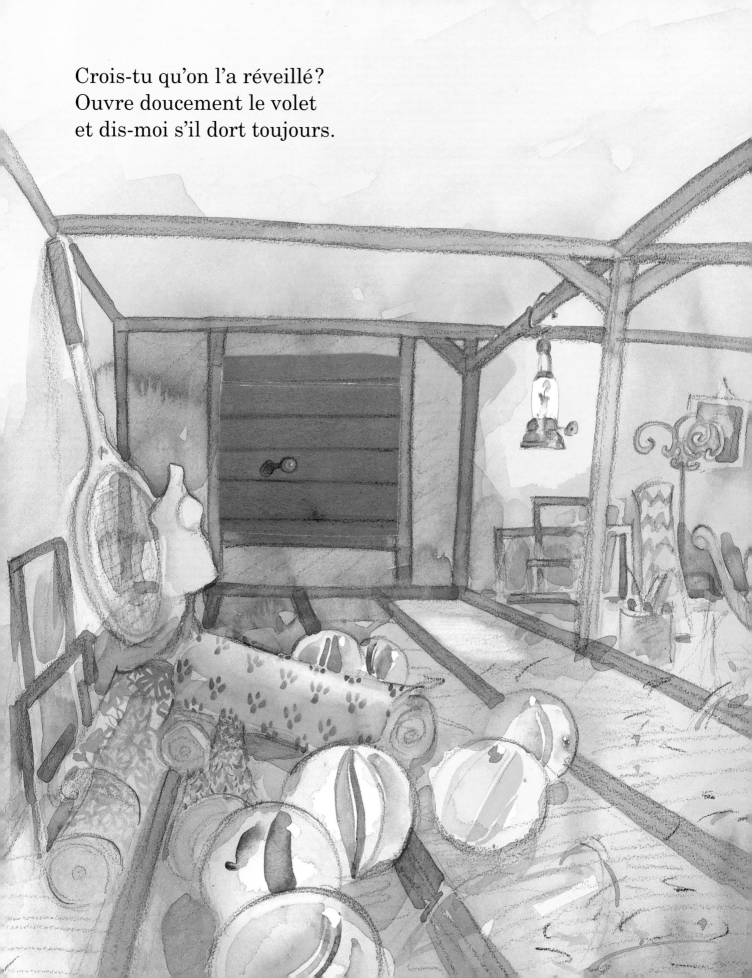

Il est réveillé?
Tu es **sûr**?

Vite, tourne la page
avant qu'il ne nous
attrape!

Vite !
Il arrive !